Savais-tu

Les Punaises

Savais-tu?

Les Punaises

Alain M. Bergeron
Michel Quintin
Sampar

Illustrations de Sampar

ÉDITIONS
MICHEL
QUINTIN

Catalogage avant publication de Bibliothèque et Archives nationales du Québec et Bibliothèque et Archives Canada

Bergeron, Alain M.

Les punaises

(Savais-tu? ; 52)
Pour enfants de 7 ans et plus.

ISBN 978-2-89435-558-9

1. Hétéroptères - Ouvrages pour la jeunesse. 2. Hétéroptères - Ouvrages illustrés - Ouvrages pour la jeunesse. I. Quintin, Michel. II. Sampar. III. Titre. IV. Collection: Bergeron, Alain M.. Savais-tu? ; 52.

QL521.B47 2012   j595.7'54   C2011-942817-2

Infographie : Marie-Ève Boisvert, Éd. Michel Quintin

Le Conseil des Arts du Canada
The Canada Council for the Arts

SODEC
Québec

Patrimoine canadien   Canadian Heritage

La publication de cet ouvrage a été réalisée grâce au soutien financier du Conseil des Arts du Canada et de la SODEC.

De plus, les Éditions Michel Quintin reconnaissent l'aide financière du gouvernement du Canada par l'entremise du Fonds du livre du Canada pour leurs activités d'édition.

Gouvernement du Québec – Programme de crédit d'impôt pour l'édition de livres – Gestion SODEC

ISBN 978-2-89435-558-9
Dépôt légal – Bibliothèque et Archives nationales du Québec, 2012
Dépôt légal – Bibliothèque et Archives Canada, 2012
© Copyright 2012

Éditions Michel Quintin
C. P. 340, Waterloo (Québec)
Canada J0E 2N0
Tél. :   450 539-3774
Téléc. : 450 539-4905
editionsmichelquintin.ca

1 2 - G A - 1

Imprimé au Canada

Savais-tu qu'on compte environ 80 000 espèces de punaises ? L'aspect physique et le mode de vie varient beaucoup d'une espèce à l'autre.

Savais-tu qu'on trouve ces insectes dans presque tous les milieux terrestres et aquatiques, à l'exception des eaux profondes et salées? Certaines espèces se nourrissent de plantes, d'autres d'animaux.

Savais-tu que les punaises sont des parasites et qu'elles ont une bouche de piqueur-suceur appelée « rostre » ? Elles s'en servent comme d'une paille.

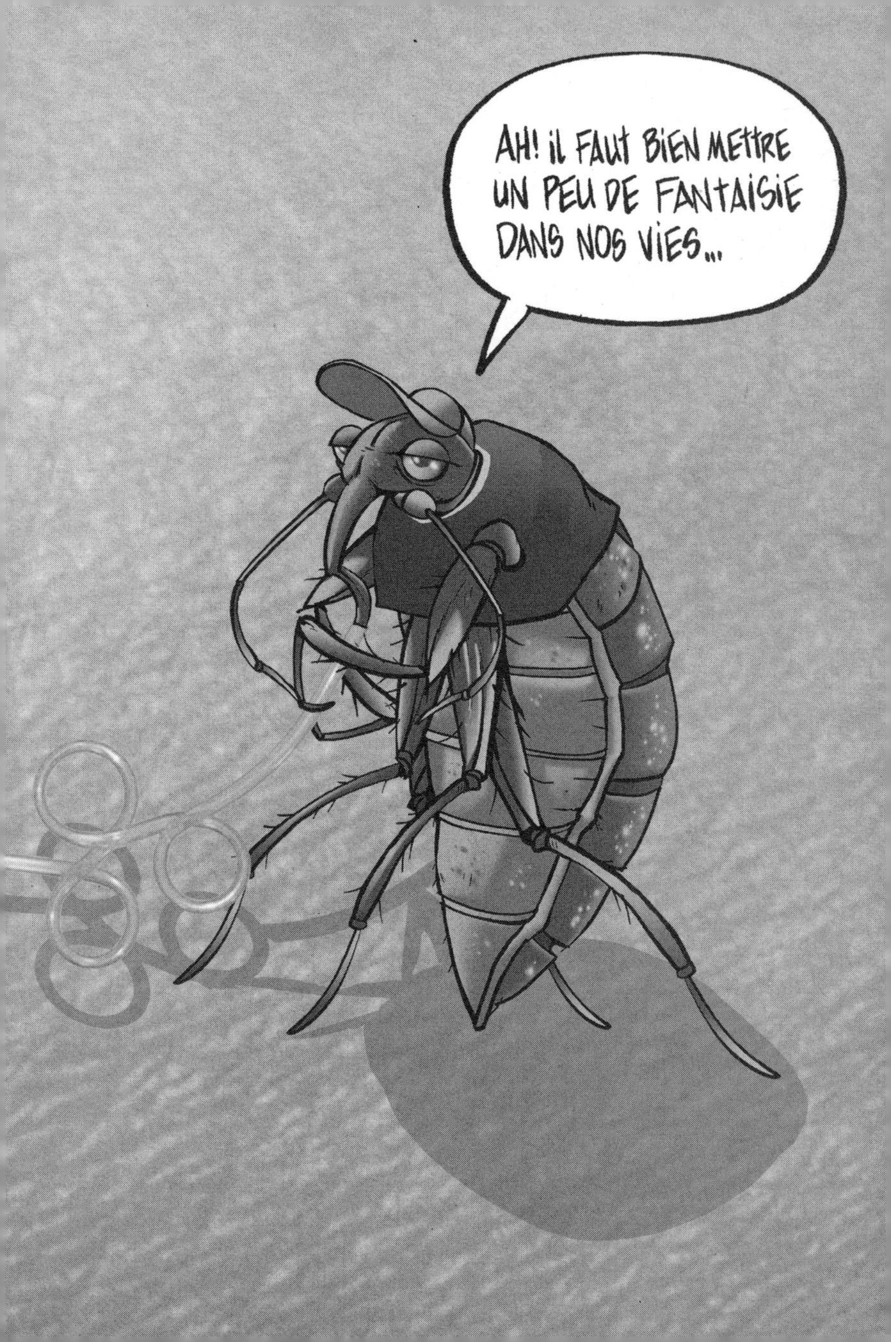
AH! il FAUT BIEN METTRE UN PEU DE FANTAISIE DANS NOS VIES...

Savais-tu que les espèces qui se nourrissent de plantes, comme la punaise verte qui vit sur les buissons et les arbres, percent l'écorce avec leur rostre pour sucer la sève?

Savais-tu qu'après avoir piqué leur victime, les punaises qui se nourrissent d'animaux lui injectent de leur salive? Les enzymes contenues dans le liquide vont prédigérer l'intérieur de la proie. Les punaises n'auront ensuite qu'à aspirer cette bouillie liquide.

Savais-tu qu'il existe des punaises d'eau géantes qui mesurent jusqu'à 6 centimètres de longueur? La plupart des espèces sont tropicales, mais on en trouve jusqu'au Canada.

Savais-tu qu'avec leurs pattes antérieures semblables à des pinces, certains de ces prédateurs voraces peuvent capturer des poissons jusqu'à deux fois plus gros qu'eux?

Savais-tu que les gerris peuvent glisser sur l'eau, sauter, et que certains peuvent même voler?

Savais-tu que ces patineurs ont des pattes longues et fines qui reposent sur la surface de l'eau comme des lames de patins? Leurs pattes sont frangées de plusieurs petits poils

qui emprisonnent l'air et soutiennent le poids de l'insecte sans briser la surface.

Savais-tu que, passés maîtres dans l'art d'effleurer la surface de l'eau, ces punaises utilisent leur paire de pattes du milieu comme des avirons et leur paire de pattes postérieures

comme un gouvernail? Certains individus peuvent avancer d'un mètre à chaque coup.

Savais-tu que c'est grâce à leurs pattes antérieures que les patineurs détectent et capturent les petites proies à la surface de l'eau ?

Savais-tu que la plupart des punaises sont terrestres? La majorité ont des glandes qui répandent une odeur désagréable, ce qui repousse certains prédateurs.

Savais-tu que, bien que certaines espèces fassent beaucoup de dégâts dans les cultures, d'autres sont utiles car elles détruisent des insectes ravageurs ?

Savais-tu que les punaises hématophages n'ont pas d'ailes?
On en compte plus de 80 espèces et toutes parasitent les
animaux, dont l'homme.

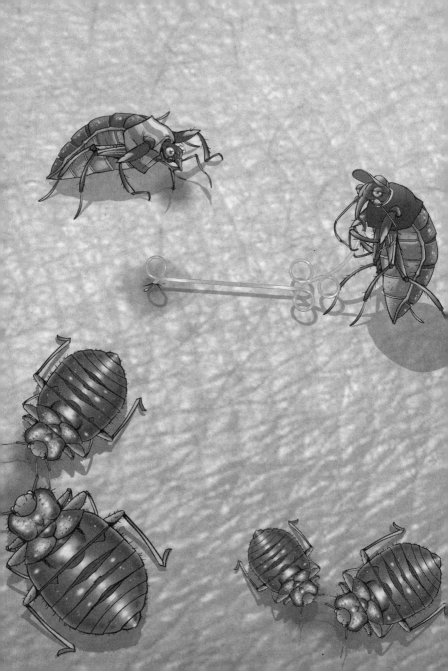

Savais-tu que, faisant partie de ce groupe, la punaise de lit se nourrit exclusivement de sang?

Savais-tu que, par l'intermédiaire de sa salive, la punaise injecte à sa victime des produits analgésiques et anticoagulants? Cela facilite l'aspiration du sang dont elle se nourrit.

MOI, ÇA FAIT DES PETITS PETITS TROUS MAIS JE NE SENS RIEN QUAND ELLES ME PERFORENT.

Hahaha! Pareil pour moi! :-)

Savais-tu que les punaises de lit sont présentent dans le monde entier? Ces insectes nocturnes peuvent vivre dans les fauteuils, les lits, les sofas, en fait, partout où l'humain se repose.

Savais-tu que, le plus souvent pendant la journée, elles se cachent dans les lits, mais aussi dans les fentes du plancher, les fissures des murs et le mobilier ? La nuit, si on les

dérange ou si on allume la lumière, vite elles filent s'y dissimuler !

Savais-tu qu'on les trouve surtout dans les chambres à coucher?

Savais-tu que les punaises de lit mesurent de 5 à 7 milli-
mètres? En fait, elles ont la taille et l'apparence d'un pépin
de pomme.

Savais-tu qu'elles repèrent leurs proies grâce à la chaleur et à l'odeur qu'elles dégagent ainsi que par le dioxyde de carbone (CO_2) qu'elles exhalent en respirant?

Savais-tu que les punaises de lit peuvent absorber le double de leur poids en sang? Un repas peut durer de 10 à 15 minutes. Il leur faut en prendre un environ tous les 5 à 10 jours.

Savais-tu que, dans les logements fortement infestés, les occupants peuvent être piqués plus d'une centaine de fois par nuit ?

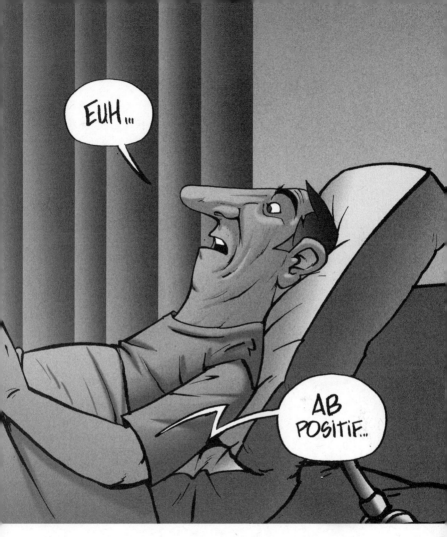

Savais-tu que le système digestif des punaises de lit supporte mal les mélanges? Avant de se laisser tenter par une deuxième victime, la punaise s'assure qu'elle a le même groupe sanguin que la première.

Savais-tu qu'à défaut d'humains, la punaise de lit s'attaque à toutes sortes d'animaux, que ce soit des mammifères ou des oiseaux ?

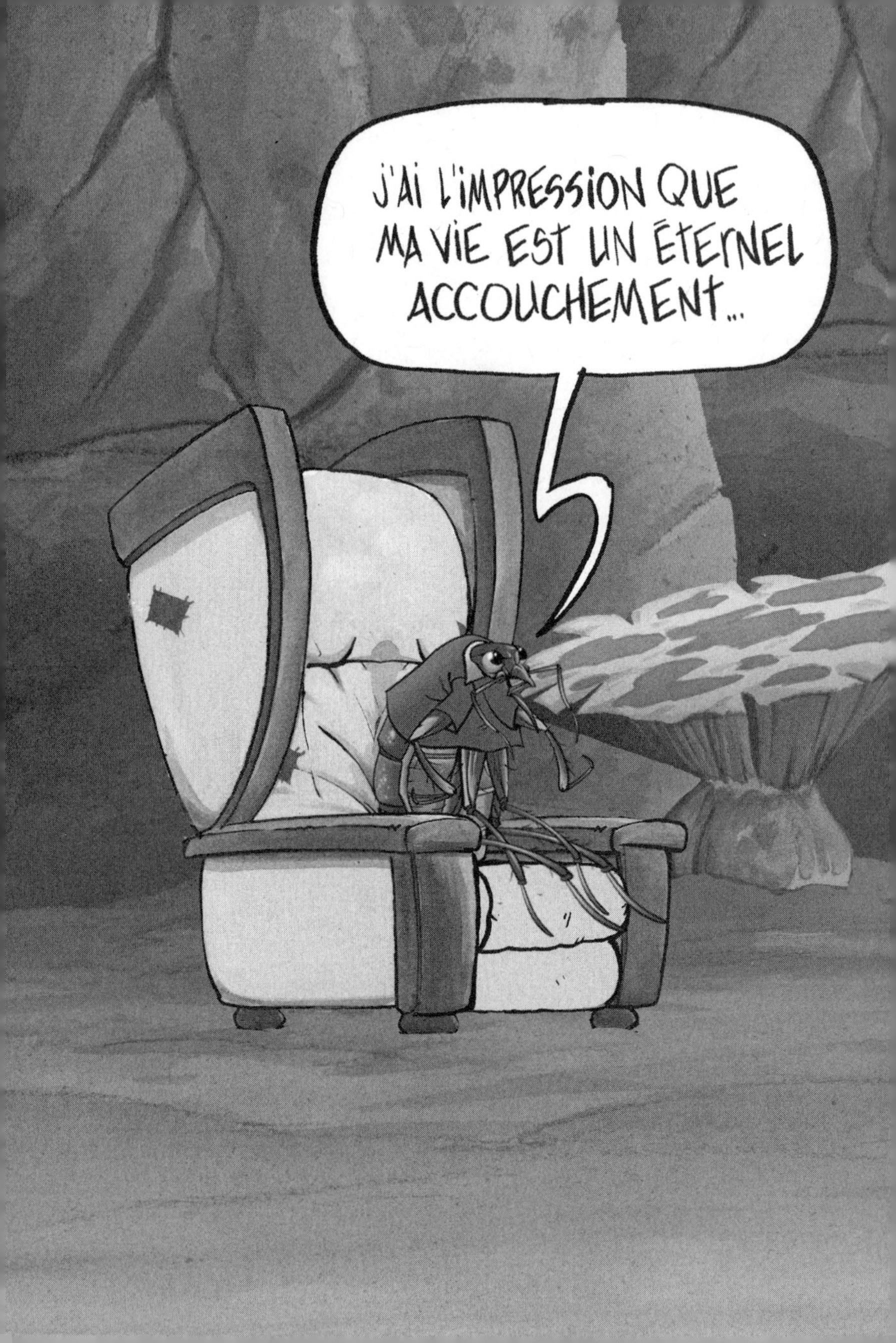
J'AI L'IMPRESSION QUE MA VIE EST UN ÉTERNEL ACCOUCHEMENT...

Savais-tu que la femelle pond de 2 à 5 œufs par jour ? Elle peut pondre entre 300 et 500 œufs tout au long de sa vie. Son espérance de vie est d'un an.

Savais-tu que les punaises sont très résistantes et qu'elles peuvent survivre plusieurs mois sans se nourrir ?

Savais-tu qu'elles sont de plus en plus répandues, un peu partout dans le monde ? Contrairement à d'autres insectes comme les moustiques, elles ne transmettent pas de maladie.

Savais-tu que l'infestation par les punaises de lit n'a rien à voir avec l'hygiène? C'est en déplaçant un objet dans lequel elles se sont réfugiées qu'on contribue à leur propagation.